JN046704

さかさまがっこう

刈田澄子・作
つちだのぶこ・絵

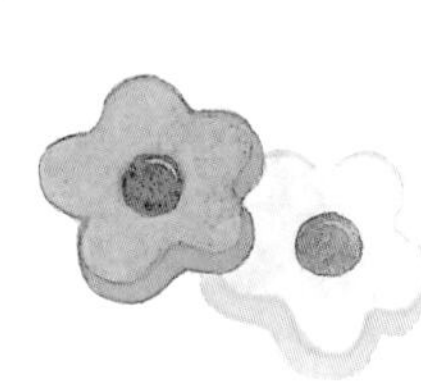

「ねえ　だいくん、
おはじき　もってきた？」
だいくんが　がっこうに
つくと、なおくんが　ききました。

「あっ、わすれた！」
だいくんは　大(おお)きな　こえで　いいました。
きのう、たんにんの　やまだせんせいが
いったのです。
「あしたの　さんすうで　おはじきを
つかうから、わすれずに　もってきてね」

でも、だいくんは
すっかり
わすれていました。

「ありゃりゃ。また　せんせいに　おこられるよ」

だいくんは　よく　わすれものを
してしまうのです。

「だいくん、また　わすれもの？」

そのたびに、やまだせんせいに　いわれます。

「つぎのひ　もっていくものは、いえに　かえったら
すぐ　ランドセルに　いれなくちゃ」

ってね。

（あー　やだなー、おこられるの　やだなー）

だいくんの　あたまの　なかは　「やだなー」で

いっぱいです。
ふらっと
たちあがると、
きょうしつの
うしろに
ふらふら　あるいて
いきました。そして、
「えいっ」と
さかだちを　しました。
それから、

「さかさまに　なあれ、さかさまに　なあれ。
まさか　さかさま、さかさま　まさか」

じゅもんのように　つぶやきました。
いつもは　おこられる　わすれものが、
「さかさま」に　ほめられると　いいなあ……
と　おもったからです。
でも　まさか、そんなこと
おこるはずないですよね？

さかさまになあれ

さかさまに なあれ

まさかさかさま

さかさままさか

チャイムが　なって、
一じかんめは
さんすうです。
やまだせんせいが
きょうしつに
はいってきました。
「みんな、おはじきを　もってきましたか？」
「はーい」
みんなは　てを　あげたけれど、だいくんだけ
あげられません。

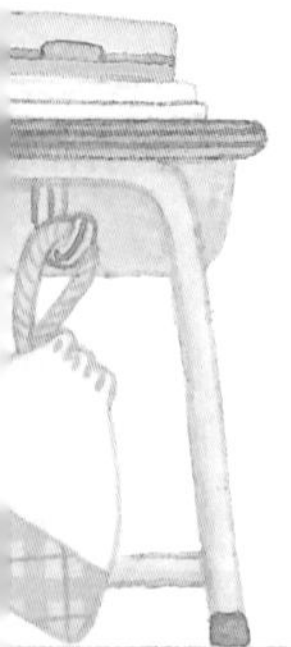

「だいくん、
もってこなかったの？」
　やまだせんせいが
ききました。
「…あのう…
わすれました」
　だいくんが　小さな
こえで　いいました。
　すると……
「えらい！」

やまだせんせいが、きょうしつじゅうに　ひびく
大きな　こえで　いいました。
「えっ？」
だいくんは　かおを　あげて、ぽかーん。
「わすれものを　するなんて、とっても　えらいです。
みんなも　だいくんを
みならいましょう」

だいくんは、
やまだせんせいが　ふざけて
いるのかな？　と　おもいました。でも、
せんせいの　かおは　大まじめです。そして、
「つぎのひ　がっこうに　もっていくものは、いえに
かえったら　すぐ　ランドセルに　いれないでね」
なんて　いうのです。

「はーい」
みんなが　てを　あげて
こたえます。それから
だいくんを、
（えらいなあ……）という
めで　みつめるのです。
「なんだか　へんだけど、
おこられなくて　よかった」
だいくんは
ほっとしました。

「さんすうを　はじめる
まえに、きのうの　テストを
かえします」
やまだせんせいが　いいました。
そして、だいくんの
なおくんを、

となりの　せきの
「よく
がんばりましたね」
と　ほめました。

「なおくん、もしかして　百(ひゃく)てん？」

にこにこしている
なおくんに、だいくんが　ききました。

「えっへん。みて！」

なおくんの　テストは、八てん。

「すごいだろう」

なおくん、なぜか　大(おお)いばり。

そして、さんすうの
とくいな　ゆうくんは、

「こんかいは　ざんねんだったね。

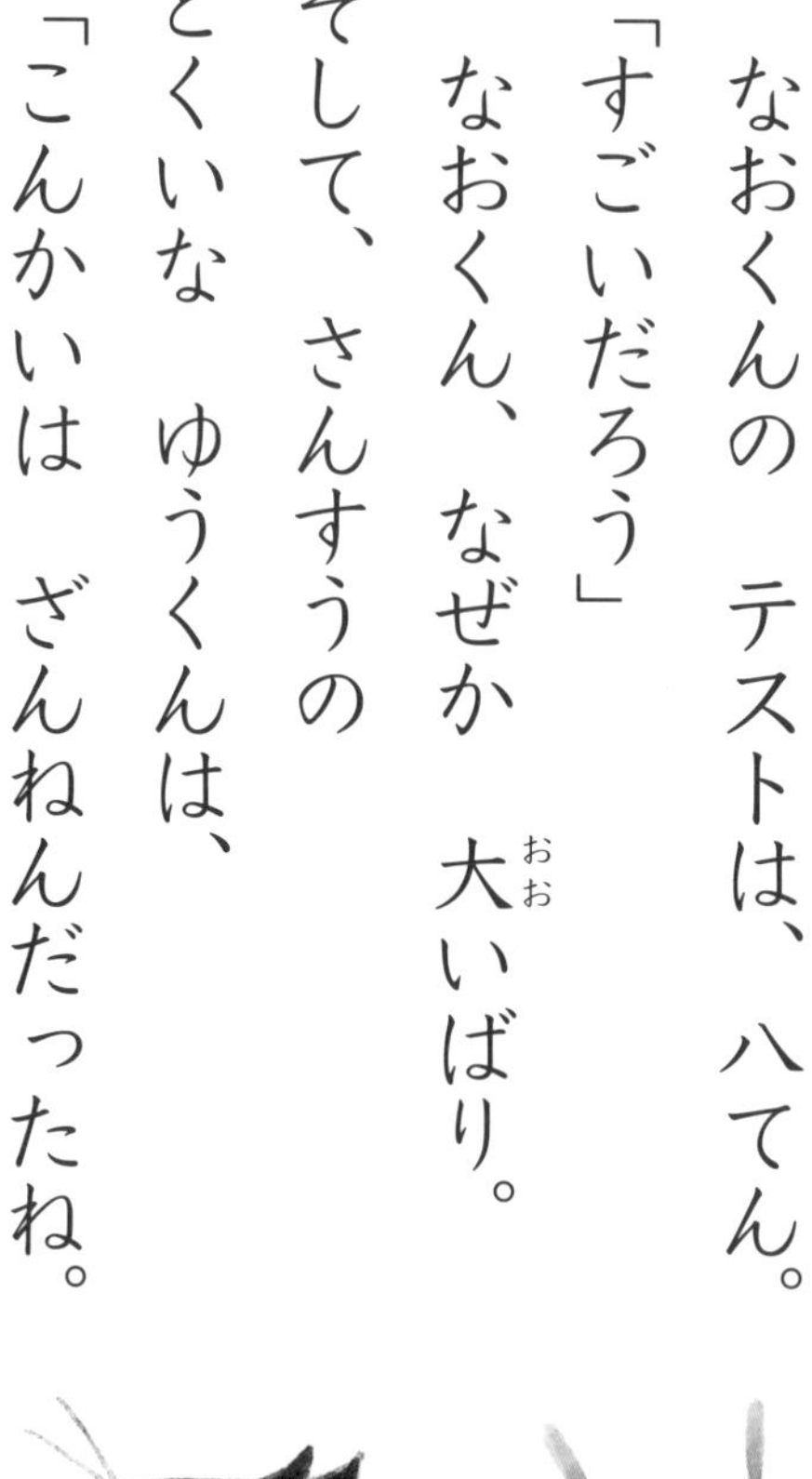

つぎは　がんばって」
と　いわれて
しょぼんとしています。
だいくんが　ちらっと
みると……百（ひゃく）てん！
（やっぱり　へんだぞ。
まさか　まさか……）
だいくんの　むねが
ドキドキ
なりはじめました。

二じかんめは　こくごの　じかん。としくんが
きょうかしょを　よみます。
「ええと、……さい、……い　うさぎが、……に
いいました」
小(ちい)さな　こえで、よめない　かんじを
ぬかして　よむので、
なにが　なんだか　わかりません。
（ほんとうは「小(ちい)さい　白(しろ)い
うさぎが、犬(いぬ)に　いいました」
なんですよ）

ところが、やまだせんせいが
としくんに　いいました。

「小(ちい)さな　こえで
じょうずに　よめました。
かんじは　むずかしいから
よめなくて　あたりまえよ」
「やっぱり！
ほんとに　『さかさま』に
なっちゃった」

だいくんが　いうと、
「さかさまって？」
なおくんが　ききました。
「わすれもの　したり　かんじが
よめなかったら、おこられたり　ちゅういされたり
するでしょ。でも、きょうは　ほめられる。
百（ひゃく）てん　とったら、いつもは　ほめられるのに
きょうは　ほめられない。
ねっ、みーんな『さかさま』だよ」
すると、なおくんが　ゲラゲラ　わらいだしました。

「へんな　だいくん。
なんにも　さかさまじゃないよー」
そのとたん、やまだせんせいが
ふたりを　みて　いいました。
「あらあら、じゅぎょうちゅうに
おしゃべりするなんて……　たのしいね！」

やすみじかんに　なりました。
「ドッジボールしよう！」
だいくんが　ろうかを
バタバタ　はしります。
まがりかどで、なにかに
ドスンと　ぶつかりました。
みあげると、
こうちょうせんせいの
おなかでした！
（わわわ。　ろうかを

はしるなって　おこられちゃう）
ところが、こうちょうせんせいが
いいました。

「おお、ろうかを　はしるなんて
かんしんだな。なかなか
できることじゃないぞ。
こんどの　ちょうれいで
みんなに　はっぴょうしよう」
そして、だいくんの
あたまを　くりくり
なでました。
「こうちょうせんせいも
さかさま？」

まわりを　みまわすと、
がっこうじゅうの
こどもたちが、ろうかで
おにごっこを　したり、
こくばんや　つくえに
らくがきしたり、
こうていで
あなほりしたり。
　それを　せんせいたちが
にこにこ　みています。

「がっこうじゅう　さかさま！
さかさまがっこうだあ」
だいくんの　むねが　ウキウキ
おどりはじめました。
だって、
しっぱいしたり
にがてなことを、
おこられるどころか
ほめられるのですから。
いままで　「やっては　いけません」

と　いわれていたことも
やっていいのです。
「わあーい」
だいくんは　はだしで
こうていに　とびだすと、
なおくんと　バシャバシャ　みずあそび。
「おっ、みずも　したたる　いい　おとこだな」
「だいくん　かっこいーい」
せんせいたちが　パチパチ　はくしゅ。
「たのしーい。さかさまがっこう、だーいすき！」

三じかんめは　たいいくです。
「きょうは　はしる　れんしゅうを　します」
やまだせんせいが　いいました。
「やったー」
だいくんは　はしるのが　大すきだ。
ようちえんの　うんどうかいの　かけっこは
いつも　一とうでした。
ところが。いちばん　はやく　はしった
だいくんに　せんせいは、
「あれまあ、ずいぶん　はやいねえ。つぎはがんばろうね」
なんて　いうんです。そして、
いちばん　おそかった
まみちゃんを、
「すごい！」
と　ほめました。

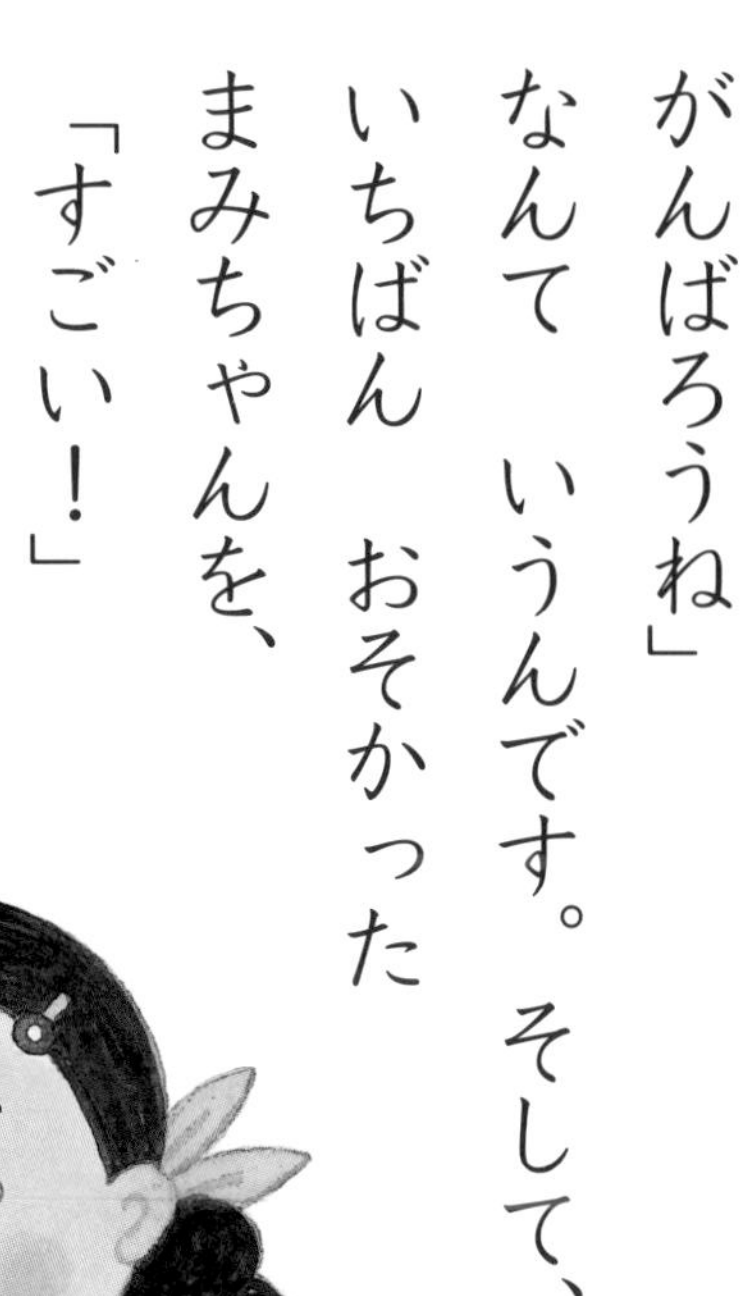

「さあ、みんなで
おそく　はしる
れんしゅうを
しましょう。うでを
うんと　小さく
ふってー。あしも
たかく　あげないで」
　みんなで
こうていを
のろのろ　はしります。

「あー　もう、もっと
はやく　はしりたーい」
だいくんが　つい
せんとうに　でると、
「だいくん、もっと
おそく　はしりなさい」
ですって。
「つまんなーい。
さかさまがっこう、
きらいになりそう」

まちにまった　きゅうしょくの　じかんに
なりました。
「きょうは　大すきな　カレーライスだ」
だいくんは　ワクワク。
「いただきまーす」
だいくんは　ぺらぺらしたものを　すくって、
くちに　いれました。
「なんだ　これ？　あじが　しないし、
かたくて　かめないや」
そのとき、なおくんが　うれしそうに　いいました。

「わあい、じゃがいもの　かわ、
だーいすき」
「うへえ、これ、じゃがいもの　かわなのかあ」
だいくんは　つぎに　まるいものを
たべてみました。
「あまーい！　おまんじゅうだ」
まみちゃんと
みすずちゃんは
ぱくぱく
たべています。

「クッキー　おいしーい。
カレーに　あうね」
「ゼリーも　おいしいよ」
そこへ、
きゅうしょくの
おばさんが
やってきました。
「みなさーん、これを
かけると　もっと
おいしくなりますよー」

「うひゃあ、
いちごジャムだ」
だいくんは
びっくり。
でも　みんなは、

ひとりずつ　まわって、
カレーに　なにか
かけていきます。
だいくんの　おさらにも
たっぷり　とろ〜り。

「おいしそう〜」
と　めを
かがやかせています。
だいくんは
ほんのすこし
たべてみました。
「まずーい！
大すきな　カレーが
大きらいな
カレーに　なっちゃった！」

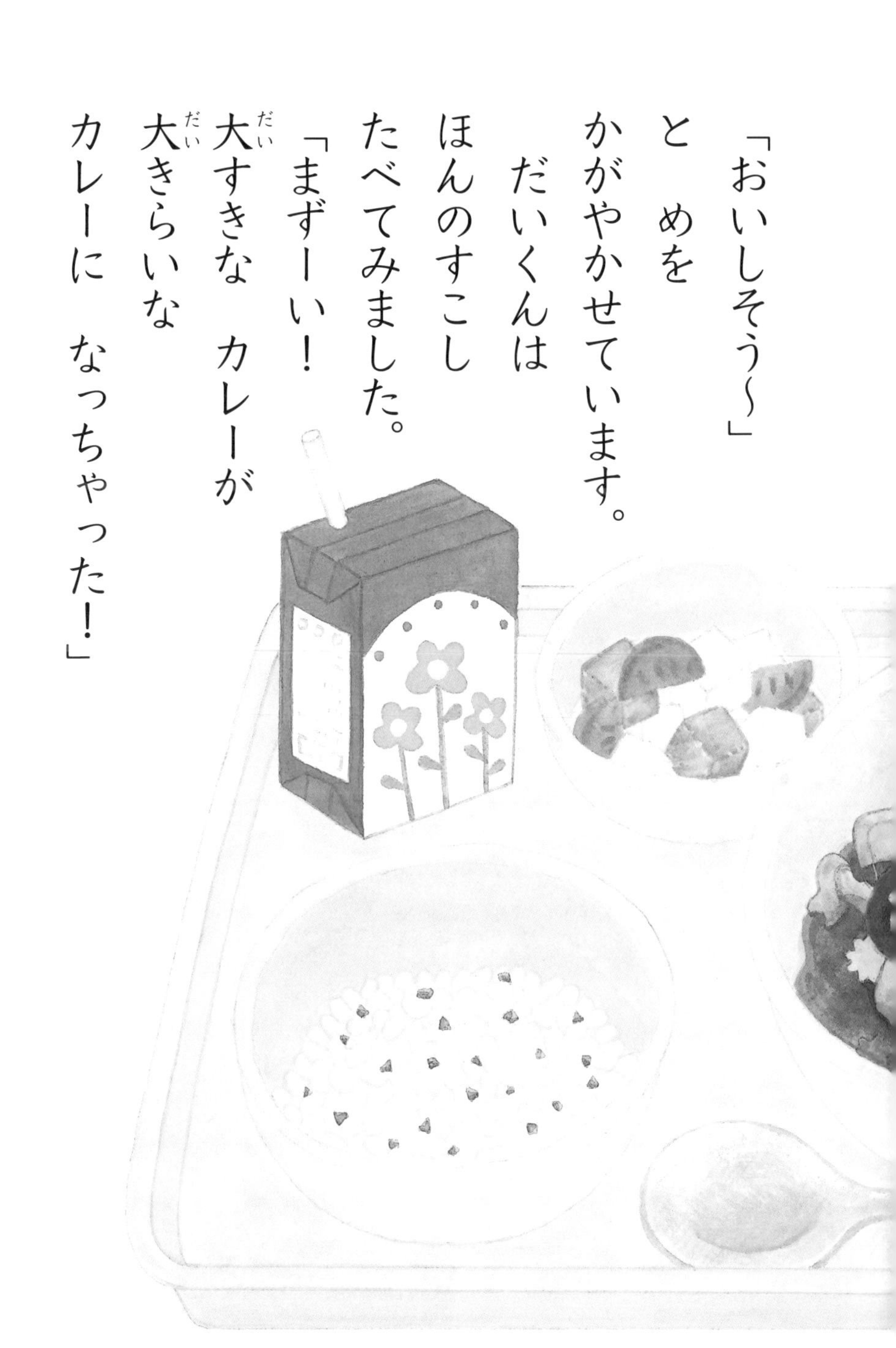

だいくんは　すっくと
たちあがって　いいました。
「こんな
きゅうしょく、
いやだー！
さかさまがっこう、
大っきらい！」

するとみんなは、まゆを　ひそめて　ひそひそ。
「すごく　おいしいのにね。へんな　だいくん」
「へんなのは　みんなだよ。
みんな、さかさまに
なってるんだよ。
きっと　ぼくが
さかだちしたからなんだ。
ねえ、もとに
もどってよ！」

だいくんが　いっしょうけんめい　いいました。
はやく　はしれなかったり、きゅうしょくが
まずいのも　いやでした。でも、ともだちが
みんな　しらないこに　なったみたいで、それが
いちばん　いやだったのです。
「だいくん　どうしたの？　カレーライス
大（だい）すきなのに。おなかが　いたいの？」
なおくんが　しんぱいそうに　だいくんの
てを　とりました。だいくんは、その　てを
ふりほどいて　わんわん　なきだしました。

「いたくないよ！
うわーん、
さかだちなんか
しなきゃ　よかった」
そのときです。
だいくんは
ハッと　しました。

「そうだ！　さかだちしたら　さかさまに
なったんだから、もういちど　さかだちしたら
また　さかさまになって、もとに　もどるかも」
だいくんは　きょうしつの　うしろに　ダダッと
かけていくと、
「えいっ」
と　さかだちを　しました。そして、
「さかさまに　なあれ、さかさまに　なあれ。
まさか　さかさま、さかさま　まさか」
じゅもんのように　つぶやきました。

はてさて、どうなるでしょうか……？

「こらこら　だいくん、さかだちを　やめて　せきに
つきなさい」

やまだせんせいが　大きな　こえで　いいました。

「だいくん、カレー　たべようよ。おいしいよ」

なおくんが　おいで　おいでを　しています。

「おかしの　はいった　カレーなんて　たべたくない」

だいくんが　ほっぺを　ふくらませると、

「おかし？　そんなの　はいってないよ」

なおくんが　おどろいて　いいました。

「えっ？」

だいくんは
さかだちを　やめて、
おさらを　のぞきました。
「ほんとだ！」
なんと、じゃがいもと
にんじんと　たまねぎの、ふつうの
カレーに　なっていました。
「ああ　よかった、もとに　もどったあ」
ほっとした　とたん、だいくんの
おなかが　ぐーっと　なりました。

「さかさまは　もう　こりごり。
いつもの　がっこうが
いちばんだー！」
……でも、
さかさまがっこうも
ちょっと
おもしろかったなあ……。
なんて　おもった
だいくんでした。

苅田澄子（かんだ すみこ）

出版社勤務の後、フリーで編集をしながら児童文学作家・小沢正氏に師事。

絵本作品に『いかりのギョーザ』（大島妙子 絵／佼成出版社）、『じごくのラーメンや』（西村繁男　絵／教育画劇）、『パンツいっちょうめ』（やぎたみこ　絵／金の星社）、『だいぶつさまのうんどうかい』（中川 学 絵／アリス館）など。

つちだのぶこ氏との作品に『おんなじ おんなじ おんなじね』（学研）、『かさじおやぶん　いっけんらくちゃく！』（小学館）、『へっこきへのた』（文溪堂）などがある。

つちだのぶこ

東京都に生まれる。

絵本作品に『でこちゃん』（PHP 研究所）、『ぼくんちカレーライス』（佼成出版社）、『ポッケのワンピース』（学研）、『あれ　あれ　あれれ』（ポプラ社）、『からっぽマヨネーズ』（ねじめ正一　作／鈴木出版）など。

さし絵作品に「くだものっこ」シリーズ（たかどのほうこ　作／フレーベル館）、『サトウハチロー』（萩原昌好　編／あすなろ書房）などがある。

さかさまがっこう

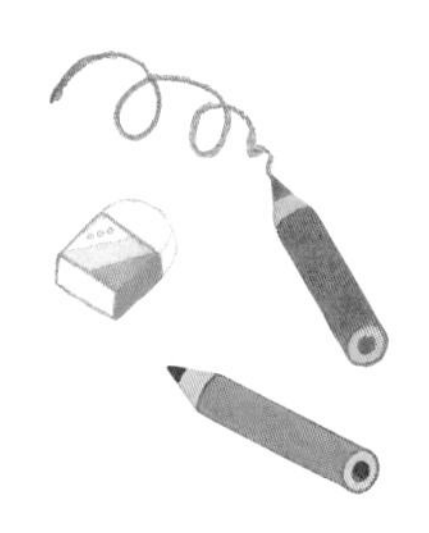

2022年3月　初版 第1刷発行
2023年4月　　　 第3刷発行

作家　苅田 澄子
画家　つちだ のぶこ
発行者　水谷 泰三
発行　株式会社文溪堂　〒112-8635　東京都文京区大塚3-16-12
TEL（03）5976-1511（編集）（03）5976-1515（営業）
ホームページ https://www.bunkei.co.jp
装丁　佐野 裕哉
印刷　凸版印刷株式会社
製本　株式会社 若林製本工場

NDC913/47P 216 × 151mm ISBN 978-4-7999-0433-6